Mémed
et les 40 menteurs

Françoise Guillaumond - Illustrations d'Elène Usdin

d'après un conte traditionnel
d'Azerbaïdjan

MAGNARD

Lecture CE1

C'est l'histoire d'une femme qui avait deux fils.
Elle était très pauvre et n'avait qu'un bœuf et un âne
pour vivre. Elle habitait dans un petit village
de l'Azerbaïdjan avec ses deux fils, Chédoulla, l'aîné,
et Mémed, le plus jeune.

Un jour, Chédoulla dit à sa mère :
— Je vais vendre le bœuf au grand bazar de Kirovabad.
Avec l'argent, je partirai faire fortune dans le vaste
monde.
Sur ces mots, Chédoulla prit le bœuf et se mit
en route.

Vous ne le savez sans doute pas, mais en ce temps-là,
la ville de Kirovabad abritait un repaire de brigands
que l'on appelait les quarante menteurs.
Au lieu de voler les gens dans leur maison ou de les
attaquer sur les chemins, les quarante menteurs
volaient les richesses des autres en racontant
des mensonges. Plus leurs mensonges étaient gros,
plus ils devenaient riches.

Dès que Chédoulla entra dans le bazar, son bœuf
derrière lui, les quarante menteurs s'approchèrent.
— Est-il à vendre ce bouc ? demanda l'un d'eux.
— Tu es fou ! s'exclama Chédoulla !
Mon bœuf n'est pas un bouc !

— Comment ça un bœuf ? reprit un deuxième menteur.
— Oui, répondit Chédoulla, et je compte bien le vendre
50 dinars.

Un troisième menteur s'approcha en riant :
– Allons, c'est toi le fou ! Qui voudrait acheter
un bœuf avec une queue aussi longue ? Il est
vraiment trop vilain. Si j'étais toi, je lui envelopperais
la queue dans un bout de tissu pour la cacher.
Il serait plus beau et tu pourrais peut-être le vendre.

— Ah... dit Chédoulla en se grattant la tête. Et il ôta
la ceinture verte qui retenait son pantalon et
en enveloppa la queue du bœuf.

Un quatrième menteur s'approcha.
— Combien demandes-tu pour ton bœuf ?
— 50 dinars.
Le menteur se frappa les cuisses en riant :
— Vraiment, tu exagères. Qui voudrait acheter
un bœuf avec des cornes aussi blanches ? Si j'étais toi,
je lui teindrais les cornes en rouge avec du henné.

Alors Chédoulla, sans hésiter, colora en rouge
les cornes du bœuf.

Aussitôt fait, il fut entouré par la bande
des quarante menteurs.

— Combien demandes-tu pour ton bœuf ?

— 50 dinars ! répondit Chédoulla.

Les menteurs se moquèrent de lui.

— Ton bœuf ne vaut pas plus de 5 dinars à présent.
Allons, nous te les donnons de bon cœur.

Mais Chédoulla refusa. Il alla se planter au milieu
du bazar. Il y resta tout le jour et même jusqu'au
soir, très tard. Mais personne ne voulait acheter
son bœuf. Les gens passaient devant Chédoulla
en riant. A-t-on jamais vu un bœuf avec une queue
enveloppée de vert et des cornes rouges ? Les gens se
disaient : cet homme est fou pour avoir ainsi
affublé son bœuf et comme les animaux ressemblent
à ceux qui s'en occupent... mieux vaut s'abstenir.

Finalement, Chédoulla fut bien heureux de vendre
son bœuf pour 5 dinars au chef des menteurs
et il rentra fort triste à la maison.

Sa mère pleura beaucoup en entendant l'histoire, mais elle était si heureuse de revoir Chédoulla qu'elle cessa vite de lui faire des reproches.
Quant à Mémed, il avait entendu parler des quarante menteurs et il comprit que son grand frère Chédoulla avait été trompé par eux. Il décida de se venger.

Le lendemain, Mémed partit à son tour avec l'âne. Savez-vous où il se rendait ? Au grand bazar de Kirovabad.
L'âne était maigre et vieux, mais Mémed était très malin. Aussi, avant d'entrer en ville, Mémed prit quelques pièces d'or, souleva la queue de l'âne, et les cacha dessous.

Arrivé au bazar, il se retrouva entouré des quarante menteurs.

— Tu es bien jeune pour venir seul au grand bazar, dit l'un d'eux.

— C'est vrai, répondit Mémed, mais je suis venu ici pour vendre mon âne.

Les menteurs se mirent à rire :

— Allons, cette bête n'est pas un âne !

Tu ne trouveras jamais personne pour l'acheter.

— Oh si, dit Mémed, d'un air grave. Cet âne est un trésor, c'est mon trésor. Regardez.

Il souleva la queue de l'âne et en retira une pièce d'or. Puis il recommença une fois, et une fois encore.

Bien sûr, les quarante menteurs voulaient absolument
acheter l'âne. Mémed fit semblant de s'en aller.
— Non, non, dit-il. J'ai changé d'avis. Finalement
je l'aime trop mon âne. Je ne veux plus le vendre.
Les quarante menteurs insistèrent tant et tant que
Mémed finit par vendre son âne pour 1 000 dinars.

Seulement voilà, quand les menteurs rentrèrent
chez eux, ils eurent beau soulever la queue de l'âne,
rien ne se passa. Ils tirèrent si fort sur la queue,
que l'âne furieux donna une grande ruade et se sauva.

Les menteurs se mirent aussitôt à la recherche
de Mémed.
Mais l'histoire l'a dit : Mémed était malin.
Il avait attrapé deux lièvres tout à fait identiques.
Il en attacha un devant la porte de sa maison.
Ensuite, il demanda à sa mère de préparer un grand
festin pour quarante invités. Puis il prit l'autre lièvre
dans les bras et partit à la rencontre des quarante
menteurs. Justement, ils entraient dans le village.
Ils étaient furieux et brandissaient des bâtons
au-dessus de leur tête.

— Salam-aleikum ! leur lança Mémed.
Puis il dit au lièvre :
— Va vite à la maison prévenir ma mère que
nous avons quarante invités pour le repas de midi.
Et il lâcha le lièvre qui s'enfuit en courant.

Les quarante menteurs décidèrent d'accepter
l'invitation de Mémed. Ils furent très étonnés en
voyant le lièvre attaché devant la porte de la maison.
Mémed lui fit une caresse en passant :
— Je vois que mon ami le lièvre a bien fait
la commission. Regardez, la table est déjà mise.
À la fin du repas, les menteurs demandèrent
à Mémed s'il voulait bien leur vendre son lièvre.

— Vendre mon lièvre, s'écria Mémed ! Jamais !
Ce lièvre est mon ami et l'on ne vend pas ses amis.
Je vous ai déjà vendu mon âne, cela suffit !

– Parlons-en de ton âne ! s'exclamèrent les menteurs.
Il ne nous a pas donné une pièce d'or et
il s'est enfui.
– Enfui ! Mon âne ! Vous auriez dû être plus gentils
avec lui, il ne vous connaissait pas, vous avez dû lui
faire peur, lui tirer la queue ! Mon âne enfui,
quel malheur !...

Mémed aurait bien continué à parler de son âne
mais les quarante menteurs lui coupèrent la parole
et le supplièrent de leur vendre le lièvre.
Alors Mémed accepta de vendre le lièvre contre
2 000 dinars.

Sur le chemin du retour, le chef des quarante menteurs
dit au lièvre :
— Va vite à la maison et dis à ma femme de nous
préparer un bon repas.
Seulement voilà, quand les quarante menteurs arrivèrent
à la maison du chef, le repas n'était pas prêt,
la femme n'était pas là et le lièvre n'était pas
attaché devant la porte de la maison comme
ils s'y attendaient.

Les menteurs, furieux, comprirent que Mémed
les avait à nouveau trompés. Ils décidèrent de
le retrouver et de le punir.

Le lendemain matin, Mémed les attendait.
Évidemment, il avait tout prévu.
Il dit à sa mère :
— Prends ces tripes de mouton remplies de sang et
attache-les sous ton foulard. Quand les quarante
menteurs seront là, je ferai semblant de te tuer.
Puis Mémed prit une paille, la montra à sa mère et
ajouta :
— Quand tu sentiras que je souffle de l'air
sur ton visage, tu redeviendras vivante.

Mais déjà les quarante menteurs approchaient
de la maison de Mémed.

– Mémed ! Où es-tu ? Rends-nous notre argent !
Mémed ne leur répondit pas et se mit en colère
contre sa mère :
– Comment, tu n'as rien préparé pour nos quarante
invités !
Il saisit un poignard et le plongea sous le foulard
de sa mère. La voilà qui crie et qui tombe à terre
couverte de sang.

Les quarante menteurs en oublièrent leur colère.
– Es-tu fou Mémed ! Ta mère ne savait pas que
nous arrivions. D'ailleurs nous n'avons pas faim.
– Ne vous inquiétez pas pour elle, dit Mémed.
Donnez-moi plutôt des nouvelles de mon lièvre.

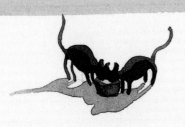

— Ne nous parle pas de ça ! s'écrièrent les menteurs, de nouveau en colère. Ton lièvre s'est enfui sans faire la commission demandée.

— Comment ? Mon lièvre s'est enfui ! se mit à gémir Mémed. Mais lui aviez-vous seulement montré le chemin ?

Les menteurs furent bien obligés de reconnaître qu'ils avaient envoyé le lièvre chez le chef sans lui expliquer le chemin.

Mémed fit semblant de se mettre en colère :

— C'est de votre faute alors ! Comment vouliez-vous qu'il trouve une maison qu'il ne connaît pas ? Mon lièvre est un lièvre savant, ce n'est pas un magicien !

Après cela, Mémed prit la paille et se mit à souffler
sur le visage de sa mère. Aussitôt elle ouvrit
les yeux et se remit debout.
Les quarante menteurs émerveillés s'exclamèrent :
— Mémed ! Cette paille est magique ! Il nous la faut.
— Non, dit Mémed. Je vous ai déjà vendu mon âne
et mon lièvre, mais cette paille est plus précieuse
que ces animaux. Il m'arrive souvent de tuer ma mère
quand je suis en colère. Une fois la colère passée,
je la ramène à la vie. Comment ferai-je si je n'ai plus
ma paille magique ?
Mais les menteurs insistèrent tant et tant que Mémed
finit par leur vendre la paille pour 5 500 dinars.

Les quarante menteurs rentrèrent chez eux avec
la paille magique. Le chef des menteurs était
impatient de l'essayer. Aussitôt chez lui, il prit
son poignard et se précipita sur sa femme avec
un grand sourire :

— Je vais te tuer et après je soufflerai sur toi avec
cette paille et tu reviendras à la vie.

— Pas question ! répondit sa femme. Souffle d'abord
sur ce poulet que je viens de tuer pour le repas
du soir. S'il se lève et sort de la maison,
alors je te laisserai faire.

Le chef des voleurs s'approcha du poulet mais il eut beau souffler et souffler encore, le poulet resta allongé dans le plat.

— Peut-être que ça ne marche qu'avec les êtres humains ?

— Très bien, dit la femme. Donne-moi donc ce poignard et cette paille que j'essaye sur toi. Le chef des menteurs recula.

Alors le plus vieux des menteurs s'écria :

— C'est encore un coup de ce Mémed ! Cette paille
n'est pas magique, il nous a menti ! Mais il ne perd
rien pour attendre...

Les menteurs, furieux, se mirent en route pour aller
à la recherche de Mémed ; et ce n'était plus
des bâtons, mais des poignards qu'ils brandissaient
au-dessus de leur tête.

Mémed pendant ce temps avait imaginé une nouvelle ruse. Il avait creusé un trou dans la terre. Il dit à sa mère :

— Je vais me coucher dans ce trou et tu me recouvriras de terre. Quand les menteurs viendront me chercher, tu pleureras et tu leur diras que je suis mort.

— Mémed es-tu fou ? Comment feras-tu pour respirer sous la terre ?

– Ne t'inquiète pas, j'ai tout prévu : j'ai ce tuyau !
Ils firent comme il avait dit. Mémed se coucha dans
le trou, sa mère le recouvrit de terre.

Elle se lavait encore les mains quand elle entendit
les quarante menteurs pénétrer dans la cour
de la maison. Vite, elle éplucha un oignon et sortit
de la cuisine, les yeux rougis par les larmes.

— Où est Mémed ? criaient les quarante menteurs.
Où est-il ce scélérat ?

— Oh là là ! Mon Mémed, mon fils adoré... Il est mort
et tout juste enterré.

Et en disant cela, la mère de Mémed pleurait
à chaudes larmes.

— Nous voulons voir sa tombe ! hurla le chef
des menteurs.

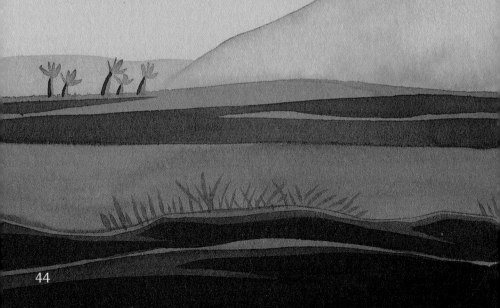

Lorsqu'ils se retrouvèrent devant la tombe de Mémed,
les menteurs laissèrent éclater leur colère.
— Quel dommage, Mémed, que tu sois mort avant
que nous ne t'ayons puni nous-mêmes, comme
tu le méritais !

C'est alors qu'une voix leur parvint de dessous
la terre :

— Je suis l'esprit de Mémed en colère, disait la voix.
Depuis trop d'années, vous les menteurs de Kirovabad,
vous volez les pauvres gens. Moi Mémed, j'ai voulu
venger mon frère Chédoulla et tous les pauvres
malheureux que vous avez ruinés par vos mensonges.
Je vous préviens, à partir de maintenant, si vous
continuez à dévaliser les gens de Kirovabad,
mon esprit furieux viendra vous poursuivre jusqu'à
la mort et même au-delà.
L'histoire raconte que les quarante menteurs
épouvantés s'enfuirent aussi vite qu'ils le purent.
Ils quittèrent Kirovabad pour toujours.

D'ailleurs, si vous passez par là, vous pourrez vous
arrêter à Kirovabad, ou plutôt à Gandja, car la ville
a changé de nom. Mais soyez sans crainte,
les quarante menteurs n'y sont plus.

Dépôt légal : février 2002 - N° d'éditeur : 2011/493
Achevé d'imprimer par Pollina en avril 2011 - L57229